在纪念中国人民抗日战争暨世界反法西斯战争胜利69周年座谈会上的讲话

（2014年9月3日）

习　近　平

人　民　出　版　社

在纪念中国人民抗日战争暨世界反法西斯战争胜利 69 周年座谈会上的讲话

（2014 年 9 月 3 日）

习　近　平

同胞们，同志们，朋友们：

今天是中国人民抗日战争和世界反法西斯战争胜利纪念日。69 年前的今天，中国人民经过艰苦卓绝的浴血奋战，打败了穷凶极恶的日本军国主义侵略者，赢得了近代以来中国反抗外敌入侵的第一次完全胜利。

中国人民抗日战争的伟大胜利，为中华民族由近代以来陷入深重危机走向伟大复兴确立了历史转折点，充分显示了中华民族有同侵略者血战到底的气概，有在自力更生的基础上光复旧物的决心，有自立于世界民族之林的能力。这一伟大胜利，将永载中华民族史册，永载人类和平史册！

首先，我代表中共中央、国务院、中央军委，向全国参加过抗日战争的老战士、爱国人士和抗日将领，向为中国人民抗日战争胜利建立了历史功勋的海内外中华儿女，致以崇高的敬意！向支援和帮助过中国人民抗日战争的外国政府和国际友人，表示衷心的感谢！

在那场艰苦卓绝的反法西斯战争中，无数勇敢的人们为了胜利献出了宝贵生命，他们的英灵永垂不朽。我们向在中国人民抗日战争和世界反法西斯战争中英勇献身的烈士，向惨遭侵略者杀戮的无辜死难者表示深深的怀念！

同胞们、同志们、朋友们！

中华民族是一个有着5000多年文明史的伟大民族，为人类文明进步作出了不可磨灭的贡献。进入近代以后，由于列强的入侵和封建统治的腐败，中国落伍了，一步步成为半殖民地半封建社会。特别是由于日本军国主义的野蛮入侵，中华民族濒临亡国灭种的境地。日本军国主义通过甲午战争并吞中国台湾和澎湖列岛等领土后，又通过八国联军侵华战争和日俄战争攫取了在中国东北南部和京津一带等地区驻军的侵略权益，为扩大侵华战争构筑了前沿阵地。1931 年，日本军国主义悍然发动九一八事变，占领中国东北全境；1937 年又蓄意制造七七事变，发动了全面侵华战争。日本军国主义的野心就是要变中国为其独占的殖民地，进而吞并亚洲、称霸世界。日本军国主义的这一疯狂的侵略国策，给中国人民和广大亚洲国家人民带来了前所未有的巨大灾难，在人类文明史上留下了极其黑暗的一页。

日本军国主义的野蛮侵略，激起中国人民的奋勇抵抗。九一八事变成为中国人民抗日战争的起点，并揭开了世界反法西斯战争的序幕。七七事变成为中国全民族抗战的开端，由此开辟了世界反法西斯战争的东方主战场。

在那个血雨腥风的年代，抗击侵略、救亡图存成为中国各党派、各民族、各阶级、各阶层、各团体以及海外华侨华人的共同意志。在中国共产党倡导建立的以国共合作为基础的抗日民族统一战线旗帜下，地不分南北，人不分老幼，全国人民义无反顾投身到抗击日本侵略者的洪流之中。当时的一篇报纸社评这样写道："今天南北战场上，是争着死，抢着死，因为大家有绝对的信仰，知道牺牲自己，是换取中华民族子子孙孙万代的独立自由，并且确有把握，一定达到。"

中国人民抗日战争异常惨烈，从战略防御到战略相持，进而发展到战略反攻，无论是正面战场还是敌后战场，中国人民同仇敌忾、共赴国难，铁骨铮铮、视死如归，奏响了气壮山河的英雄凯歌。杨靖宇、赵尚志、左权、彭雪枫、佟麟阁、赵登禹、张自忠、戴安澜等一批抗日将领，八路军"狼牙山五壮士"、新四军"刘老庄连"、东北抗联八位女战士、国民党军"八百壮士"

等众多英雄群体，就是中国人民不畏强暴、以身殉国的杰出代表。正所谓“诚既勇兮又以武，终刚强兮不可凌。身既死兮神以灵，魂魄毅兮为鬼雄。”

经过长达8年的全国抗战，中国人民打败了日本侵略者，宣告了日本军国主义的彻底失败，宣告了中国人民抗日战争和世界反法西斯战争的最后胜利。

——中国人民抗日战争的伟大胜利，彻底粉碎了日本军国主义殖民奴役中国的图谋。中国人民用自己的顽强奋战和巨大牺牲，迫使日本归还甲午战争以后从中国窃取的东北、台湾、澎湖列岛等神圣领土，捍卫了国家主权和领土完整，彻底洗刷了近代以来抗击外来侵略屡战屡败的民族耻辱。从此，再也没有侵略者可以在中国的土地上横行肆虐。

——中国人民抗日战争的伟大胜利，重新确立了中国在世界上的大国地位。中国人民抗日战争，从一开始就具有拯救人类文明、保卫世界和平的重大意义，是世界反法西斯战争的重要组成部分。世界反法西斯战争是人类历史上规模空前的战争，战火遍及亚洲、欧洲、非洲、大洋洲，有 80 多个国家和地区、约 20 亿人口卷入其中。中国人民抗日战争开展时间最早、持续时间最长，中国战场长期牵制和抗击了日本军国主义的主要兵力，对日本侵略者的彻底覆灭起到了决定性作用。中国人民抗日战争在战略上策应和支持了盟国作战，配合了欧洲战场和太平洋战场的战略行动，制约和打乱了日本法西斯和德意法西斯战略配合的企图。中国作为亚太地区盟军对日作战的重要后方基地，为盟国提供了大量战略物资和军事情报。中国人民为世界反法西斯战争作出的重大贡献，使中国国际地位显著提高。1945 年 4 月，中国同美国、英国、苏联共同发起旧金山会议，共商建立联合国。随着联合国宪章正式出台，中国成为联合国安理会 5 个常任理事国之一。中国人民赢得了世界爱好和平人民的尊敬，赢得了崇高的民族声誉。

——中国人民抗日战争的伟大胜利，开辟了中华民族伟大复兴的光明前景。经历抗日战争锤炼的中国人民，更加坚定了对民族独立、自由、解放的追求。在这场波澜壮阔的民族解放战争中，中国人民进一步认识到：只有实现民族独立和人民解放，建立人民当家作主的新中国，才能真正实现民族振兴、人民幸福。中国共产党提出的改造旧中国、建设新中国的主张，代表了中国人民根本利益。在抗日战争胜利的基础上，中国共产党团结带领全国人民继续奋斗，建立了中华人民共和国，并进而确立了社会主义制度。在血与火的洗礼中，古老的中国凤凰涅槃、浴火重生，开启了中华民族伟大复兴新的历史征程。

同胞们、同志们、朋友们！

甲午战争，中国战败。抗日战争，中国胜利。从甲午失败到抗战胜利，历史走过了半个世纪。中国当年是一个积贫积弱的国家，为什么能够战胜不可一世的日本军国主义、夺取胜利呢？

以爱国主义为核心的伟大民族精神是中国人

民抗日战争胜利的决定因素。古往今来，任何一个有作为的民族，都以自己的独特精神著称于世。爱国主义是中华民族民族精神的核心。近代以来，中国人民为争取民族独立和解放进行的一系列抗争，就是中华民族觉醒的历史进程，就是中华民族精神升华的历史进程。这种民族觉醒和民族精神升华，在抗日战争时期达到了全新的高度。正如毛泽东同志所说："这个战争促进中国人民的觉悟和团结的程度，是近百年来中国人民的一切伟大的斗争没有一次比得上的。"面对民族存亡的空前危机，中国人民的爱国热情像火山一样迸发出来。全体中华儿女众志成城、共御外侮，为民族而战，为祖国而战，为尊严而战，汇聚起气势磅礴的力量。中国人民抱定了"我们万众一心，冒着敌人的炮火前进"的决心，抱定了血战到底、抗战到底的信念，谱写了惊天地、泣鬼神的爱国主义篇章。

中国共产党的中流砥柱作用是中国人民抗日战争胜利的关键。近代以后，中国人民历次反侵略战争失败的一个重要原因，是政治统治集团的腐朽无能和民族内部软弱涣散。在内忧外患中诞生和成长起来的中国共产党，自成立之日起就把实现中华民族伟大复兴作为自己的历史使命，捍卫民族独立最坚定，维护民族利益最坚决，反抗外来侵略最勇敢。中国共产党坚持全面抗战路线，制定正确战略策略，开辟广大敌后战场，成为坚持抗战的中坚力量。无论条件多么艰苦、形势多么险恶、战争多么残酷，中国共产党始终坚持抗战、反对投降，坚持团结、反对分裂，坚持进步、反对倒退，同各爱国党派团体和广大人民一起，共同维护团结抗战大局。中国共产党人以自己的政治主张、坚定意志、模范行动，支撑起全民族救亡图存的希望，引领着夺取战争胜利的正确方向，成为夺取战争胜利的民族先锋。

全民族抗战是中国人民抗日战争胜利的重要法宝。人民群众是战争胜利最深厚的伟力。中国共产党坚持动员人民、依靠人民，提出和实施持久战的战略总方针和一整套人民战争的战略战术，广泛开展伏击战、破袭战、地雷战、地道战、麻雀战等游击战的战术战法，使日本侵略者陷入了人民战争的汪洋大海之中。中国共产党领导开辟的敌后战场和国民党指挥的正面战场协力合作，形成了共同抗击日本侵略者的战略局面。中国人民抗日战争胜利是全民族抗战的胜利，是全体中华儿女的荣光！

在中国人民抗日战争的进程中，苏联、美国、英国等反法西斯盟国为中国人民提供了宝贵的人力物力支持。朝鲜、越南、加拿大、印度、新西兰、波兰、丹麦以及德国、奥地利、罗马尼亚、保加利亚、日本等国的反法西斯战士直接参加了中国人民抗日战争。我们不会忘记给予中国人民道义和物质等方面支持的国家和国际友人，不会忘记在南京大屠杀和其他惨案中为中国难民提供帮助的外国朋友，不会忘记同中国军队并肩作战、冒险开辟驼峰航线的美国飞虎队，不会忘记不远万里前来中国救死扶伤的白求恩、柯棣华医生等外国医护人员，不会忘记真实报道和宣传中国抗战业绩的外国记者，不会忘记在中国战场上英勇献身的苏军烈士！中国人民将永远铭记各国人民为中国人民抗日战争胜利作出的宝贵贡献！

在中国人民抗日战争的壮阔进程中，形成了伟大的抗战精神，中国人民向世界展示了天下兴亡、匹夫有责的爱国情怀，视死如归、宁死不屈的民族气节，不畏强暴、血战到底的英雄气概，百折不挠、坚忍不拔的必胜信念。伟大的抗战精神，是中国人民弥足珍贵的精神财富，永远是激励中国人民克服一切艰难险阻、为实现中华民族伟大复兴而奋斗的强大精神动力。

同胞们、同志们、朋友们！

中国和日本是一衣带水的邻邦。在中日两国2000多年的交往中，和平友好是历史主流。保持中日长期和平友好关系，符合两国人民根本利益，符合维护亚洲和世界和平稳定的需要。中国政府和人民将一如既往致力于发展中日关系，愿意在中日四个政治文件的基础上推动中日关系长期稳定健康发展。

正确对待和深刻反省日本军国主义的侵略历史，是建立和发展中日关系的重要政治基础。近代以后日本军国主义发动的侵略战争给中国人民及广大亚洲国家人民带来了惨绝人寰灾难。中国人民抗日战争期间，在日本法西斯铁蹄下，中国大地到处是人间地狱，城市遭到轰炸，村庄遭到焚烧，父老兄弟遭到屠杀，母亲姐妹遭到蹂躏，大好河山惨遭践踏。抗日战争时期，中国军民伤亡多达3500万人。1937年12月，日本侵略军在南京对中国同胞实施了灭绝人性的大屠杀，30万生灵惨遭杀戮，浩浩长江滚动着鲜红的血浪，这是人类文明史上骇人听闻的暴行。日本侵略军对中国人民发动了令人发指的细菌战、化学战，进行了惨无人道的人体活体试验。日本军国主义发动战争造成的破坏及其对中国资源和财富的大肆掠夺，按照1937年的比价，造成中国直接经济损失1000亿美元，间接经济损失5000亿美元。这些都是铁的事实，是不容否认的，也是否认不了的！

抗日战争胜利后，纽伦堡国际军事法庭对纳粹德国战犯的审判，远东国际军事法庭以及中国、苏联等国家的军事法庭对日本战犯的审判，使发动侵略战争、双手沾满各国人民鲜血的罪魁祸首受到应有的惩处，把战争罪犯永远钉在历史的耻辱柱上。

这一审判的正义性质是不可动摇、不容挑战的！我们将以最大的决心和努力，同世界各国人民一道，坚决捍卫中国人民抗日战争和世界反法西斯战争胜利成果，坚决维护战后国际秩序，决不允许否认和歪曲侵略历史，决不允许军国主义卷土重来，决不允许历史悲剧重演！

日本发动侵华战争给中国人民带来的灾难是日本军国主义造成的。中国政府和人民从来没有把那场战争的罪责归咎于日本人民。我们要求日本政府和一些政治人物对那场给人类社会带来深重灾难的侵略战争有一个客观的认识和负责的态度，对在那场战争中受到深深伤害的邻国人民的感情有起码的尊重，对在那场战争中不幸死难的千千万万亡灵作出符合道义的交代。

令人遗憾的是，在中国人民抗日战争和世界反法西斯战争胜利 69 年的今天，日本一些政治组织和政治人物依然在矢口否认日军侵略的野蛮罪行，依然在执意参拜双手沾满鲜血的战犯亡灵，依然在发表美化侵略战争和殖民统治的言论，依然在藐视历史事实和国际正义，依然在挑战人类良知。这些做法，不仅违背了日本政府在历史问题上的承诺，而且背离了中日关系的政治基础，严重伤害了中国人民和广大亚洲国家人民的感情。中国人民有比海洋、天空更为宽广的胸怀，但我们的眼睛里也决容不下沙子。

事实就是事实，公理就是公理。在事实和公理面前，一切信口雌黄、指鹿为马的言行都是徒劳的。黑的就是黑的，说一万遍也不可能变成白的；白的就是白的，说一万遍也不可能变成黑的。一切颠倒黑白的做法，最后都只能是自欺欺人。

前事不忘，后事之师。我们强调牢记历史并不是要延续仇恨，而是要以史为鉴、面向未来，大家来共同珍爱和平、维护和平，让中日两国人民世世代代友好下去，让各国人民永享太平。

“解铃还须系铃人。”只有正确对待历史，才有利于日本早日卸下历史包袱。日本方面应该本着对历史、对人民、对未来负责的态度，从维护中日友好、维护亚洲地区稳定与发展的大局出发，以慎重态度严肃对待和妥善处理历史问题，认真记取历史教训，坚持走和平发展道路。

同胞们、同志们、朋友们！

今年是甲午年。120 年前的甲午年，中国民主革命的先行者孙中山先生发出了“振兴中华”的呐喊。120 年后的今天，中国人民感到无比自豪的是，我们比历史上任何时期都更加接近中华民族伟大复兴的目标，比历史上任何时期都更有信心、更有能力实现这个目标。

近代以后，中华民族走向复兴的历史进程一次次被打断，但中国人民从来没有屈服、没有气馁、没有放弃，而是一次次顽强战胜艰难险阻、重新整装出发。

中国人民抗日战争胜利 69 年来，中国发生了翻天覆地的变化。中国共产党团结带领人民前仆后继、持续奋斗，把贫穷落后的旧中国变成了日益走向繁荣富强的新中国。同时，我们也清醒地认识到，实现我们的奋斗目标，逐步实现全体人民共同富裕，实现中华民族伟大复兴的中国梦，必须准备进行具有许多新的历史特点的伟大斗争。

在前进的征程上，我们必须坚定不移走中国特色社会主义道路。中国近代以来的历史充分证明：方向决定道路，道路决定命运。中国特色社会主义道路是 1840 年以来特别是甲午战争以来，中国人民对其他救国途径的尝试全部碰壁之后作出的历史性选择，是中国共产党和人民历尽千辛万苦、付出巨大代价取得的根本成就。坚持中国特色社会主义道路，关乎国家前途、民族命运、人民福祉。我们一定要增强对中国特色社会主义的道路自信、理论自信、制度自信，在中国共产党坚强领导下，矢志不渝沿着中国特色社会主义道路奋勇前进。

在前进的征程上，我们必须坚定不移把发展作为党执政兴国的第一要务。近代以后中国落后挨打、受人欺辱的历史教训刻骨铭心。一个民族只有自强，才能在世界民族之林自立。发展是硬道理，是解决中国所有问题的关键。我们用几十年的时间走完了发达国家几百年走过的历程，最终靠的是发展。我们一定要坚持以经济建设为中心，坚持科学发展，全面推进经济建设、政治建设、文化建设、社会建设、生态文明建设，不断实现好、维护好、发展好最广大人民根本利益，不断夯实中华民族伟大复兴的物质基础，不断提高全民族的精神文化素质。

在前进的征程上，我们必须坚定不移全面深化改革。近代中国由盛到衰的一个重要原因，就是封建统治者夜郎自大、因循守旧，畏惧变革、抱残守缺，跟不上世界发展潮流。“穷则变，变则通，通则久。”改革开放是决定当代中国命运的关键一招，也是实现中华民族伟大复兴的关键一招。我们一定要以更大的政治勇气推进改革开放，敢于啃硬骨头，敢于涉险滩、闯难关，不断为中国发展提供强大动力。

在前进的征程上，我们必须坚定不移走和平发展道路。中华民族历来是爱好和平的民族，也历来是维护世界和平的坚定力量。近代以后，中华民族遭到了列强长期侵略和欺凌，但中国人民从中学到的不是弱肉强食的强盗逻辑，而是更加坚定了维护和平的决心。中国人民抗日战争和世界反法西斯战争的胜利给我们留下的最宝贵的启示，就是必须毫不动摇走和平发展道路。中国主权、安全、发展利益和民族尊严绝不允许任何势力侵犯，同时任何力量也不能动摇我们坚持和平发展的信念。中国坚持走和平发展道路，同时呼吁各国共同走和平发展道路，为建设持久和平、共同繁荣的和谐世界而不懈努力。

同胞们、同志们、朋友们！

站在新的历史起点上，我们纪念中国人民抗日战争暨世界反法西斯战争的伟大胜利，就是要铭记历史、警示未来，动员全党全军全国各族人民更加奋发有为地为实现中华民族伟大复兴而奋斗。

历史无法重来，未来可以开创。我呼吁，全党全军全国各族人民，海内外所有中华儿女，更加紧密地团结起来，肩负起历史重任，以中华民族伟大复兴不断前行的新成就，告慰为中国人民抗日战争和世界反法西斯战争胜利献出生命的所有先烈，告慰近代以来为中华民族独立、中国人民解放献出生命的所有英灵，这是我们对中国人民抗日战争和世界反法西斯战争胜利最好的纪念！

图书在版编目(CIP)数据

在纪念中国人民抗日战争暨世界反法西斯战争胜利69周年座谈会上的讲话/习近平. —北京:人民出版社,2014.9
ISBN 978-7-01-013933-3

Ⅰ.①在… Ⅱ.①习… Ⅲ.①习近平-讲话②抗日战争-中国-纪念文集③第二次世界大战-纪念文集 Ⅳ.①D2-0②K152-53

中国版本图书馆CIP数据核字(2014)第206894号

(RMC-ZJDXI-013-20140903)

在纪念中国人民抗日战争
暨世界反法西斯战争胜利69周年座谈会上的讲话
ZAI JINIAN ZHONGGUO RENMIN KANGRI ZHANZHENG JI SHIJIE FAN FAXISI
ZHANZHENG SHENGLI 69 ZHOUNIAN ZUOTANHUI SHANG DE JIANGHUA

(2014年9月3日)

习 近 平

人民出版社 出版发行
(100706 北京市东城区隆福寺街99号)

北京新华印刷有限公司印刷 新华书店经销

2014年9月第1版 2014年9月北京第1次印刷
开本:880毫米×1230毫米 1/32 印张:0.75
字数:9千字

ISBN 978-7-01-013933-3 定价:2.50元

邮购地址 100706 北京市东城区隆福寺街99号
人民东方图书销售中心 电话 (010)65250042 65289539